Anke Kranendonk

Een rare agent

met tekeningen van
Irma Ruifrok

Op de cd staat een korte leesinstructie bij dit boek.
Daarna leest de auteur het eerste hoofdstuk voor.
Kijk op de cd welk nummer bij dit boek hoort.

Achter in het boek zijn leestips opgenomen voor ouders.

Boeken met dit vignet zijn op niveaubepaling geregistreerd
en gecontroleerd door KPC Groep te 's-Hertogenbosch.

1e druk 2006

ISBN 90.276.6285.1
NUR 286/283

Illustraties: Irma Ruifrok
Leestips: Marion van der Meulen
Vormgeving: Natascha Frensch
Typografie Read Regular: copyright © Natascha Frensch 2001 – 2006
Uitgeverij Zwijsen B.V. Tilburg

Voor België:
Zwijsen-Infoboek, Meerhout
D/2006/1919/273

Inhoud

17
AK-06-IR

1. Een mooie auto

Wauw!
Er rijdt een *Porsche 911 Turbo* voorbij.
Wat een **prachtig**e wagen!
De rode kleur glimt in het zonlicht.
En dan het geluid van de auto.
Dat is mooier dan alle muziek van de radio.

Freek zit op een stoeltje voor zijn huis.
Het is zaterdag vandaag, en mooi weer.
Dan gaan veel mensen naar het strand.
Freek woont aan de weg naar het strand.
Er komen vaak **prachtig**e auto's langs zijn huis.
Meestal staat er een **file** voor Freeks deur.
Dan kan hij lekker een poosje blijven kijken.
Soms heeft hij geluk.
Dan staat er vijf minuten een *Ferrari* voor zijn neus.
Of een *Hummer*.
Dat zijn reuzen van auto's.
Freek wil zelf wel een *Hummer*.
En nu rijdt zomaar de **nieuwste** *Porsche* voorbij.

Freek springt op en rent naar het kruispunt.
Misschien moet de *Porsche* wachten voor het stoplicht.
Dan kan Freek er nog even goed naar kijken.
Het kruispunt is om de hoek van de straat.

Freek rent zo hard hij kan.

Opeens hoort hij een auto slippen.
Daarna volgt een harde klap.
Freek schrikt zich naar.
Komt dat geluid van het kruispunt vandaan?
Was dat die *Porsche*?
Freek rent nog harder dan hij al deed.
Zodra hij de hoek om is, ziet hij het al.

De *Porsche* staat in elkaar gedeukt tegen een boom.
Er is niets meer van over.
Alsof de auto een vouwblaadje was.
Het glas van de voorruit ligt op de grond.
Aan de boom zit rode verf.

Freek staat stil.
Hij kijkt naar de auto en het kruispunt.
Overal staan auto's op de weg.
Mensen zijn uitgestapt en lopen naar de *Porsche*.
De stoplichten werken gewoon.
Ze springen op groen, oranje en daarna op rood.
Waarom is de auto tegen de boom gereden?
Werkten de remmen niet goed?
Of reed de man te hard?
Misschien sliep hij.
Nee, dat kan niet.
Mannen in een dure *Porsche* slapen niet.

Langzaam loopt Freek naar de auto toe.
Zijn hart klopt snel.
Het is misschien gek.
Maar van binnen moet hij een beetje huilen.
Zo'n mooie, nieuwe auto.
En dan zo heel erg gedeukt.
Dit komt nooit meer goed.

Opeens staat Freek weer even stil.
Ziet hij het goed?

2. De man

De deur van de auto gaat open.
Er stapt een man uit.
Even **wankelt** hij op zijn benen.
Hij steekt zijn armen in de lucht.
De man rekt zich eens flink uit.
Hij draait zijn hoofd heen en weer.
Alles doet het nog.
Dan ziet de man hoe zijn auto erbij staat.
De man slaat een hand voor zijn mond.
Weer **wankelt** hij op zijn benen.
Dan zakt hij in elkaar.

Freek ziet alles gebeuren.
Hij weet niet zo goed wat hij moet doen.
Zal hij verder lopen?
Mag dat wel?
Misschien is de man erg gewond.
Of nog erger.
Freek durft er niet aan te denken.
Maar die auto.
Hij wil hem zo graag bekijken.
Freek wil alles zien.
Het deel dat nog goed is.
Dat is vast nog erg mooi.
Maar hij wil ook de voorkant zien.

Freek heeft nog nooit een opgevouwen auto gezien.

In de verte hoort Freek een sirene loeien.
Die komt vast en zeker hiernaartoe.
Wordt het helemaal spannend!
Freek loopt maar weer verder.
Alle mensen gaan naar de auto toe.
Dus waarom hij niet?

Freek stapt door de struiken naar de auto toe.
Hij durft nog niet naar de man te kijken.
Die ligt op de grond aan de andere kant.
Als eerste ziet Freek de lampen van de auto.
Grote, vierkante, rode lampen.
Prachtig!
En dan de kont van de auto.
Hij loopt schuin af en ziet er strak uit.
Heel erg mooi!

Freek loopt naar voren.
Direct slaat hij een hand voor zijn mond.
De motorkap staat schuin open.
Die kan nooit meer dicht.
Hij zit veel te veel in elkaar.
In de motorkap zit de motor.
Daar is ook niets meer van over.
Arme auto.
En dan de lampen!

De mooie, ronde, witte koplampen.
In duizend scherven ligt het glas op de grond.
De draden hangen er los bij.
Arme, arme auto.

Er staan veel mensen om de *Porsche* heen.
Alle mensen kreunen als ze de auto zien.
Er zitten ook mensen bij de man op de grond.
Ze praten tegen hem.
Totdat vlak voor Freeks neus de ziekenauto stopt.

3. Politieman

Twee broeders stappen uit de auto.
Ze pakken een grote tas.
Meteen lopen ze naar de man van de *Porsche*.
Stiekem gaat Freek nog iets dichterbij staan.

De broeders knielen bij de man neer.
'Hallo meneer, hoe heet u?' vraagt een broeder.
De man knippert met zijn ogen.
'Ik ben Daan,' zegt hij.
'Waar ben ik?'
'Hier, op de grond.'
'O ja,' zegt Daan.
Ineens komt hij overeind.

Snel pakken de broeders Daan vast.
'Rustig aan, meneer.'
'O!' zegt Daan.
'Mijn nieuwe auto.
Mijn mooie auto.
Ik heb er zo lang voor gespaard.
Kijk nu eens.
Er is niets meer van over.'
Daan zakt weer achterover.
Een broeder voelt zijn pols.
'Die is goed,' zegt hij.

De andere broeder voelt aan de benen van Daan.
'Hebt u ergens pijn?' vraagt hij.
'Nee,' zegt Daan.
'Ik heb nergens pijn.
Alleen mijn auto.'

Plotseling zit hij weer rechtop.
'Waar is die vent?' roept hij.
'Welke vent?' vragen de broeders.
'Die kerel.'
'Welke kerel?'
'Er was een man, een **politieman**.
Hij stond het verkeer te regelen.
Maar hij deed heel raar.
Hij zwaaide met zijn armen.
Er klopte niets van.
Het licht stond op rood.
Ik moest doorrijden.
De **politie** zwaaide met zijn armen.
Ik moest door en door.
Terwijl ik al zo hard reed.
Liever wilde ik remmen.
Maar dat mocht niet.'

De man huilt bijna.
Nu gaan andere mensen ook praten.
'Ja!' roepen ze.
'We moesten stoppen en rijden.

We snapten er niets van.
Alles reed door elkaar.'

'Toen kwam er een auto op me af,' zegt Daan.
'Ik moest wel aan de kant gaan.
Maar ik reed heel hard.
Ik kon niets anders.
Ik stuurde mijn auto de bosjes in.
Ik botste tegen de boom.
Maar waar is die **politieman**?'

De mensen kijken om zich heen.
De **politieman** is nergens.

4. Een week later

Het is alweer zaterdag.
Freek heeft geluk.
De zon schijnt.
Hij zit lekker buiten op zijn stoeltje.
Net als vorige week, toen de *Porsche* voorbijkwam.
Tjonge, wat een toestand was dat.
Er kwam een sleepauto.
Die sleepte de auto weg.
Meneer Daan kon er niet meer mee rijden.
Nooit meer.
Hij was heel erg boos op de **politieman**.
Alle mensen waren boos.
Wie maakt er nu zo'n **puinhoop** van?
Freek vond het wel spannend.

Nu is dat voorbij.
Hij is de hele week naar school geweest.
Vandaag is hij vrij.
Daarom zit hij lekker buiten op de stoep.

Wauw!
Hij hoort het al van verre.
Daar komt een zware motor aan.
Wat zal het voor een motor zijn?
Een *Honda*, een *BMW*, of een *Kawasaki*?

Freek denkt dat het een *Honda* is.
Ja, hij heeft het goed.
Een paars met zwarte *Honda*.
Een dikke, zware motor.
Freek is op slag helemaal blij.
Dit is de eerste motor van de dag.
En meteen een hele goede.

Freek springt op en rent weer naar het kruispunt.
Hij kan beter daar zijn stoeltje neerzetten.
Maar dat is lastig.
Soms wil hij even wat drinken.
Of hij moet nodig naar de wc.
Dan is het handig om snel thuis te zijn.
En Freek vindt het leuker voor zijn huis.
Hij rent liever naar het kruispunt en weer terug.

Meestal is het niet nodig.
Dan staan de auto's voor zijn huis in de **file**.
Freek zit op zijn stoel.
En de auto's komen vanzelf voorbij.
Langzaam rijden ze langs.
's Ochtends de ene kant op.
En 's avonds weer terug.

Freek rent door.
Hij is de bocht om.
Hij hoort iemand slippen.

Freek kijkt.
En weer slaat zijn hart een slag over.

5. Van de weg af

In de bosjes ligt de *Honda*.
Die heel erg mooie, grote *Honda*.
Op zijn zij.

De weg is breed.
Naast de weg ligt een fietspad.
Daarnaast is de stoep.
En dan pas komen de bosjes.
Daar ligt de motor nu.

Over de weg loopt een zwart remspoor.
Dat loopt door over het fietspad en de stoep.
De motor is ver in de bosjes gereden.
Alle struiken liggen plat.
En in het midden ligt de *Honda*.
Arme, arme motor.

Langzaam loopt Freek ernaartoe.
Net als vorige week.
Weer durft Freek niet zo goed.
Maar hij wil het wel graag zien.
Freek loopt door de struiken.
Naast de motor ligt de man.
Hij ligt half in een struik.

De man staat op en doet zijn helm af.
'Pfoe,' zegt hij de hele tijd.
'Poe, poe.
Pfoe, pfoe.
Is me dat schrikken!
Ik ben blij dat ik net les heb gehad.
Ik heb geleerd te remmen.
Dat kon ik al.
Maar nu leerde ik het beter.
Je moet remmen en sturen.
Anders vlieg je over de kop.
Poe, poe.
Pfoe, pfoe.'

De man ziet Freek staan.
'Liep jij op de stoep?' vraagt hij.
Freek knikt.
'Dan heb je geluk,' zegt de man.
'Ik reed ook over de stoep.
Maar ik reed niet over je heen.'
'Nee,' zegt Freek.
Hij denkt even na.
Wat zeiden de broeders tegen Daan?

Freek weet het weer.
Hij zegt het ook:
'Hallo meneer, hoe heet u?'
'Ik heet Mark,' zegt de man.

‘En jij?’
‘Freek,’ zegt Freek.
De man loopt naar zijn motor.
Hij wil hem optillen.
Het gaat zwaar.
‘Zal ik helpen?’ vraagt Freek.
Maar er is al iemand die helpt.

Mark kijkt naar de motor.
‘Bah!’ zegt hij.
‘Er zit een deuk in.
En de verf is eraf.’

Mark kijkt om zich heen.
‘Ik snap iets niet,’ zegt hij.

6. Alweer die politieman!

'Het stoplicht stond op groen.
Ik kon verder rijden.
Maar ineens moest ik stoppen.
Dat moest van een man.
Het was een **politieman**.
Hij deed raar.
Waarom?
Er reden mensen door rood.
En wij moesten stoppen voor het groene licht.
Dat is toch raar?
En waar is die man?'

Er staan nu al veel mensen bij de motor.
Ze praten allemaal door elkaar.
'Hoe kan dat nou?' vraagt de een.
'Het is een **puinhoop**,' zegt de ander.
'Kijk eens op het kruispunt.
Alle auto's staan door elkaar.
Er kan niemand meer door.
En waar is de **politieman**?
Hij stond midden op het kruispunt.
Hij zwaaide met zijn armen.
Hij deed maar wat, die **politieman**.'

De mensen wijzen naar het kruispunt.

Ze wijzen ook naar de motor.
'Ik reed voor jou,' zegt een mevrouw.
Ze heeft een hoedje op haar hoofd.
De mevrouw trilt.
Ze is ook al heel oud.
'Ineens moest ik remmen,' zegt de mevrouw.
'De auto's voor mij reden door.
Maar de **politieman** stak zijn hand op.
Dan moet je remmen.
Dat heb ik zo geleerd.'

'Ja,' zegt Mark.
'Dat merkte ik.
Ik kon nog net de bosjes in rijden.
Anders was ik boven op uw auto geknald.'
De mevrouw zucht.
'Maar ja,' zegt ze.
'Wie heeft nu de schuld?'
'De **politieman**!' roepen de mensen in koor.
Ze kijken om zich heen.
'Maar waar is de **politieman**?'

Er staat een meneer.
Hij heeft een telefoon in zijn hand.
'Ik heb al gebeld,' zegt hij.
'Ik heb naar de **politie** gebeld.
Ze sturen een wagen.'

Even later stopt er een wagen.
Twee mannen van de **politie** stappen uit.
Ze kijken naar Mark en de motor.
Hij mag vertellen wat er is gebeurd.
Veel mensen praten dwars door zijn verhaal heen.
'Dit is geen manier!' roepen ze.
'Die man kan het niet!
Wat zijn jullie voor agenten!'

Eén agent steekt zijn hand op.
Hij wil dat de mensen stil zijn.
'Hoe zag de man op het kruispunt eruit?' vraagt hij.
De mensen kijken elkaar aan.
Dat weten ze niet.
De man had een grote pet op.
Die zakte over zijn ogen.

'Een veel te grote pet?' vraagt de agent.
'Ik ken niemand met een veel te grote pet.
Weten jullie wel zeker dat het een agent was?'

7. Wat gebeurt er nu weer?

Freek heeft geluk.
De week erna is het nog steeds mooi weer.
Freek zit op zijn stoeltje voor het huis.
Hij weet hoe laat het is.
De kerkklok sloeg net tien uur.
Freek zit lekker in de zon.
Hij heeft zijn hand in zijn broekzak.
Er zit een auto in.
Een mooie, ronde *Kever*.
Freek houdt hem goed vast.

Wauw!
Daar komt de **nieuwste** *Audi S 4 cabrio*.
Een rode.
Wat een mooi geluid.
Kijk die wielen, kijk die lampen.
Zo mooi!

Freek springt op.
Hij rent achter de *Audi* aan.
Ziet hij het goed?
De stoelen van de *Audi* zijn knalrood.
Rode, leren stoelen.
Freek hapt naar adem.
Hij kijkt naar de man achter het stuur.

Die is vast heel rijk.
Anders koop je geen *Audi S4 Cabrio*.
De man zwaait naar Freek.
En Freek zwaait terug.
Dan rijdt de *Audi* de bocht om.

Freek valt bijna.
Hij kijkt naar de grond.
De veter van zijn schoen is los.
Snel bukt Freek zich.
Hij maakt zijn veter vast.

Ineens hoort hij een harde klap.
Freeks hart slaat een keer over.
Wat nu weer?
Vanaf het kruispunt komt gegil.
'Houd hem!' hoort hij roepen.
Houd hem?
Wie moet je vasthouden?
Op dat moment rent er iemand langs hem.
Het is een man.
Hij heeft een blauw pak aan.
Op zijn hoofd zit een pet.
Dat ziet Freek allemaal.
Het is een **politieman**.
Waarom rent hij zo hard?

Moet hij iemand vangen?

8. Erachteraan!

Freek staat op en rent achter hem aan.
De agent kijkt even achterom.
Meteen holt hij de bocht om.
Er rennen meer mensen over de straat.
Ze lopen achter de **politieman** aan.
Maar ze zien niet dat hij de bocht om gaat.
De mensen lopen rechtdoor.

Freek rent wel de hoek om.
Daar is een paadje.
Dat paadje gaat naar de school van Freek.
Er staan veel bosjes om de school heen.
Freeks hart **bonkt**.

Freek staat even stil op het pad.
Waar is de agent gebleven?
Misschien is er een boef op het plein.
En de agent gaat die nu pakken.
Freek verstopt zich achter de struiken.
Op zijn tenen loopt hij verder.
Soms wacht hij even.
Dan denkt hij iets te horen op het plein.
Als er niets is, sluipt hij weer verder.

Zijn hart **bonkt** nog steeds.

Straks ziet de boef hem.
En dan doet hij vast eng.
Nou ja, als Freek zich maar goed verstopt.
Dan kan er niet zoveel misgaan.

Freek loopt weer door.
Nu is hij bij het schoolplein.
Het is er stil.
Er speelt niet één kind.
De zon schijnt op de grijze stenen.
Freek kijkt over het plein.
Er is geen agent en ook geen boef.

Plotseling houdt Freek zijn adem in.
Hij ziet iets bij de schuur.
De stalling voor de fietsen.
Er zijn kieren in het hout.
Tussen de kieren beweegt iets.
Snel drukt Freek zich tegen de schoolmuur aan.
Even denkt hij na.
Hij kan nu nog naar huis gaan.

Weer beweegt er iets in de schuur.

9. Kleren

Freek weet dat er een gat is in de schuur.
Eerst loopt hij langs de school.
Dan loopt hij een stukje door een tuin.
Hij komt achter de schuur uit.
Hij vindt het nu nog enger.

Langzaam loopt Freek naar de schuur.
Hij legt zijn handen om zijn ogen.
Zo kan hij goed door het gat kijken.
Daar ligt iets.

Er ligt een pet op de grond.
Een blauwe pet.
Eentje van de **politie**.
Er ligt ook een broek bij.
Daarnaast ligt een blauwe jas.
Freek kijkt goed.
Er zit iets aan de broek.
Boeien.
Handboeien voor een boef.
Ze zitten aan de broek vast.

En er staat een man.
De agent.
Hij staat in zijn onderbroek.

De man pakt een groene broek.
Hij trekt hem aan.
Daarna doet hij een geel T-shirt aan.
En een jasje.
Hij heeft niets in de gaten.
Soms kijkt hij even over het schoolplein.
Maar er komt niemand aan.

De man trekt zijn schoenen aan.
Hij veegt met zijn hand door zijn haar.
Nu zit het weer netjes.

Dan pakt hij de kleren.
Hij legt de broek, jas en pet op de schoenen.
Het zijn echt schoenen van de **politie**.
De man pakt alles in één keer op.
Hij loopt naar de hoek van de schuur.
Freek duikt in elkaar van schrik.
Zijn hart **bonkt** weer.

De man loopt recht op Freek af.
Freek durft niet meer te kijken.
Maar toch wil hij weten wat er gebeurt.

Heel langzaam komt Freek omhoog.
Hij loert door het gat.
De man verstopt de kleren.
Boven de rekken voor de fietsen is een plank.

In de hoek van de plank legt hij de kleren.
De plank is hoog.
Niemand kan de kleren zien.

Freek zucht.
Hoe lang liggen die kleren daar al?
Sinds wanneer doet die man dit?
Dat wil Freek weten.
De man loopt de schuur uit.

10. Naar huis

De man is nu geen agent meer.
Hij ziet er gewoon uit.
Even kijkt hij om zich heen.
Hij ziet Freek niet.

Freek wacht even.
Eerst moet de man van het schoolplein af zijn.
Dan volgt Freek hem op een paar meter afstand.
De kerkklok slaat.
De man hoort het.
Hij schrikt ervan.
Meteen gaat hij sneller lopen.
Bij de bocht slaat hij linksaf.
Freek ook.

Het duurt best lang.
Misschien wel een kwartier.
Bij een huis staat de man stil.
Hij kijkt door het raam.
Freek staat ergens anders stil.
Toch kan hij zien wat er gebeurt.

Er komt een oude vrouw uit het huis.
'Waar kom je vandaan?' roept ze.
'Van de bakker,' zegt de man.

'Klets niet, waar was je?' roept de vrouw.
'Bij de bakker, dat zei ik toch!' zegt de man.
'Waar is het brood dan?'
'Er was geen brood meer!'
'Je liegt!' roept de oude vrouw.

Freek sluit even zijn ogen.
Het klopt, de man liegt.
Freek stopt zijn hand in zijn broekzak.
Hij pakt de ronde auto vast.

De vrouw roept weer.
'Wat ben jij nou voor een zoon!
Je moet doen wat ik zeg!'
Freek kijkt naar de man.
Hij staat een beetje krom.
Is hij bang voor zijn moeder?

Opeens gebeurt er iets.
De vrouw gaat dicht bij de man staan.
Ze tilt haar hand op.
Zo'n oud mens!
De man zakt een beetje in elkaar.
'Niet slaan!' gilt hij.
'Laat me met rust, mama!'

Freek bibbert ervan.
Arme man.

Freek moet iets doen.
Hij denkt na.
En dan weet hij het.

11. De politie

Het is een uur later.
Freek staat weer bij het huis.
Er is een agent binnen.
Freek heeft de **politie** gebeld.
Hij mocht niet mee naar binnen.
Maar de deur staat op een kier.
Hij luistert stiekem.

De agent praat met de man en zijn moeder.
Zij is boos.
Haar zoon moest brood halen.
De agent zegt:
'Meneer, u was niet bij de bakker.
U stond op het kruispunt.
U deed alsof u een agent was.
Maar u bent geen agent.'

De moeder wordt heel erg boos.
'Naar kind!' roept ze.
'Dat weet je toch!
Je mag geen agent worden.
Je bent al bijna veertig jaar.
Je werkt gewoon in een winkel.
Dat is een goede baan.'

En dan …
Dan begint de man te huilen.
Die grote man van bijna veertig.

'Ik wilde zo graag agent worden,' snikt hij.
'Maar het mocht niet.
Mijn moeder vond het te eng.
En toen, en toen,' snikt de man.
'Toen ging ik naar de fopwinkel.
Ik kocht een blauw pak.
Ik hou er zo van.
Het is zo'n mooi beroep.
Verkeer regelen op het kruispunt.
Dan ben ik de baas.
Helemaal de baas.'
De man huilt nog harder.
'Maar het lukte niet goed,' snikt hij.

Arme, grote man.
Hij wilde zo graag agent worden.
Maar hij mocht het niet.
Dan ben je al zo oud.
En moet je nog huilen.

Freek voelt in zijn zak.
Hij haalt de auto eruit.
Die zal de grote man vast heel mooi vinden.

Freek loopt naar de voordeur.
Hij duwt hem een stukje verder open.
Daar hangt het jasje van de man.
Freek stapt naar binnen.
Hij stopt de ronde *Kever* in de zak van het jasje.

Dan gaat hij snel weer naar buiten.
Binnen huilt de man nog steeds.
Freek gaat naar huis.
Maar hij weet één ding.
Straks doet de man zijn jasje aan.
Hij voelt in zijn zak.
Hij vindt de auto.
En dan wordt hij blij.
Heel blij.

Lees ook de andere boeken uit deze serie

Wat zullen ze opkijken!
Wie kies je, Marijn?
Wie wordt de winnaar?
1 + 1 = zeven
Spook te koop
Een vreemd hotel
De gesprongen snaar

1 + 1 = zeven
Elisabeth Mollema

Spook te koop
Henk van Kerkwijk

Een vreemd hotel
Joke de Jonge

De gesprongen snaar
Els Hoebrechts

Leestips

Algemeen

Leesplezier is het allerbelangrijkste!

Kinderen bij wie het leren lezen niet zonder problemen is verlopen, vinden lezen moeilijk en niet leuk. De boekenserie Zoeklicht Dyslexie wil de drempel om te gaan lezen verlagen en kinderen laten ervaren dat het lezen van een verhaal plezier geeft.
U kunt als ouder een belangrijke rol spelen in het laten ervaren van leesplezier. Daarom hebben we hieronder wat eenvoudige tips bij elkaar gezet.

De gulden regel is om het plezier in het lezen voorop te stellen.
Dwing uw kind nooit tot lezen. Kies geen boeken voor het kind waarvan u niet zeker weet dat uw kind het onderwerp leuk vindt. En kies liever een boek met een (te) laag AVI-niveau dan een boek met een (te) hoog AVI-niveau.

Maak lezen niet tot straf. Stel het lezen niet in de plaats van iets wat uw kind graag doet, bijvoorbeeld computeren of televisie kijken. Lees elke dag een kwartiertje op een tijdstip dat uw kind het wil. Geef het bijvoorbeeld de keuze: of om acht uur naar bed of nog een kwartiertje opblijven om samen te lezen. Zo wordt lezen extra leuk.

Een keer geen zin in lezen? Lees dan voor. Hiermee zorgt u ervoor dat uw kind kan blijven genieten van boeken en verhalen, zonder dat het hiervoor een (te) grote inspanning moet leveren. Heeft u een poosje geen tijd om voor te lezen? Leen dan eens een luisterboek bij de bibliotheek.

En rare agent

Maak uw kind nieuwsgierig. Om uw kind nieuwsgierig te maken naar dit boek, kunt u het boek alvast samen bekijken, zonder het te gaan lezen. Bekijk de titel: *Een rare agent* en de voorkant van het boek. Waar zou het verhaal over kunnen gaan? Ook via de luister-cd kunt u uw kind nieuwsgierig maken naar de inhoud van het boek. Laat uw kind rustig luisteren naar het fragment op de cd. De auteur leest het eerste hoofdstuk voor. Uw kind hoeft hierbij niet mee te lezen in het boek. Tijdens het fragment op de cd hoort uw kind dat Freek graag op een stoeltje

voor zijn huis gaat zitten om naar mooie auto's te kijken. Ook vandaag! Maar dan is hij getuige van een ongeluk.
Hierdoor wordt uw kind vast benieuwd naar het verloop.
Op de grote tekening voor in het boek staan alle hoofdpersonen en alle auto's die een belangrijke rol spelen in het verhaal. Deze plaat zal uw kind eveneens nieuwsgierig maken naar het verhaal.

Lastige woorden op de flappen. In elk boek komen woorden voor die lastig te lezen zijn. In dit boek komt onder andere het woord *file* een aantal maal voor. Dit is een lastig woord, want je spreekt het woord anders uit dan je het schrijft: *file* spreek je uit als *fielu*.
De lastigste woorden uit het boek hebben we daarom op een flap bij elkaar gezet. Thuis kunt u deze woorden samen bekijken: u als ouder leest de woorden een keer voor. Uw kind kijkt mee en kan de woorden als een echo nazeggen. Straks bij het lezen legt u de flappen open en dan zijn deze woorden niet zo moeilijk meer. De woorden op de flap worden ook op de cd voorgelezen.
Komt een moeilijk woord dat op de flap staat voor in de tekst, dan is dit een beetje zwarter gemaakt dan de andere woorden. Uw kind weet zo dat dit een van de lastige woorden op de flap is.

Samen lezen. Om de vaart in het verhaal te houden, kunt u met uw kind afspreken dat jullie dit boek om beurten lezen: uw kind een bladzijde en u een bladzijde. Hierdoor kan uw kind zich af en toe concentreren op de inhoud van het verhaal, zonder dat het zich moet inspannen om de tekst te ontcijferen.

Prijs uw kind. Prijs uw kind uitbundig, als het dit boek helemaal heeft uitgelezen. Het heeft een hele prestatie geleverd en dat mag benadrukt worden. Vertel uw kind bijvoorbeeld dat er in dit boek elf hoofdstukken staan die het, samen met u, allemaal gelezen heeft. Voor in het boek staan de titels van alle hoofdstukken. Door de titels samen nog een keer te lezen, kunt u nog even napraten over wat er in het boek allemaal gebeurd is.

Naam: *Anke Kranendonk*
Ik woon met: *mijn man en drie kinderen, een hond en twee katten.*
Dit doe ik het liefst: *met de hond over het strand rennen.*
Dit eet ik het liefst: *tomaten met mozzarella (dat is een soort kaas) en groene blaadjes.*
Het leukste boek vind ik: *Liever een hond.*
Mijn grootste wens is: *een film schrijven.*

Naam: *Irma Ruifrok*
Ik woon met: *mijn vriend Hessel en onze kat Fons.*
Dit doe ik het liefst: *hardlopen en schaatsen.*
Dit eet ik het liefst: *pizza's, spaghetti, olijven, Italiaanse wijn, ijs ... kortom: alles wat maar Italiaans is.*
Het leukste boek vind ik: *'In de ban van de ring' van Tolkien.*
Mijn grootste wens is: *dat onze kat ooit leert om mensentaal te spreken of dat ik kattentaal leer miauwen; kunnen we lekker met elkaar kletsen.*